Orage sur le Tanganyika

Cette œuvre est inspirée du texte publié par Médecins Sans Frontières
dans le recueil «*Dignita*», ed. Fletrinelli, 2011

Orage sur le Tanganyika

ROMAN

WILFRIED N'SONDÉ

Wilfried N'Sondé est né à Brazzaville (Congo) en 1969. En 1973, sa famille s'installe en région parisienne, où il suit toute sa scolarité avant de faire ses études à la Sorbonne puis à Nanterre. En 1989, la nouvelle de la chute du mur de Berlin lui donne aussitôt l'envie de découvrir cette ville. Il y fait plusieurs voyages avant de s'y installer définitivement en 1991.

Il travaille ensuite pendant plus de quinze ans auprès de jeunes en difficulté et commence en parallèle une carrière de musicien avant de publier son premier roman, *Le cœur des enfants léopards* en 2007. Pour ce roman, il reçoit le prix des Cinq continents de la Francophonie et le prix Senghor de la création littéraire. En 2010, il publie *Le silence des esprits* et, en 2012, *Fleur de béton*. Il a également participé à plusieurs recueils collectifs.

Son roman *Orage sur le Tanganyika* lui a été inspiré par un séjour au Burundi effectué en compagnie d'une équipe de Médecins sans frontières.

LA COLLECTION MONDES EN VF

Collection dirigée par Myriam Louviot
Docteur en littérature comparée

www.**mondes**en**vf**.com

Le site *Mondes en VF* vous accompagne pas à pas pour
enseigner la littérature en classe de FLE par des ateliers
d'écriture avec :

- une fiche «Animer des ateliers d'écriture en classe de FLE» ;
- des fiches pédagogiques de 30 minutes «clé en main» et
  des listes de vocabulaire pour faciliter la lecture ;
- des fiches de synthèse sur des genres littéraires, des
  littératures par pays, des thématiques spécifiques, etc.

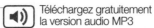 Téléchargez gratuitement
la version audio MP3

Dans la collection Mondes en VF

La cravate de Simenon, NICOLAS ANCION, 2012 (A2)

Pas d'Oscar pour l'assassin, VINCENT REMÈDE, 2012 (A2)

Papa et autres nouvelles, VASSILIS ALEXAKIS, 2012 (B1)

Quitter Dakar, SOPHIE-ANNE DELHOMME, 2012 (B2)

Enfin chez moi !, KIDI BEBEY, 2013 (A2)

Jus de chaussettes, VINCENT REMÈDE, 2013 (A2)

Un cerf en automne, ÉRIC LYSØE, 2013 (B1)

La marche de l'incertitude, YAMEN MANAÏ, 2013 (B1)

Le cœur à rire et à pleurer, MARYSE CONDÉ, 2013 (B2)

La voyeuse, FANTAH TOURÉ, 2014 (A2)

New York 24 h chrono, NICOLAS ANCION, 2014 (A2)

Combien de fois je t'aime, SERGE JONCOUR, 2014 (B1)

Un temps de saison, MARIE NDIAYE, 2014 (B2)

1

Le voile sombre de la nuit recouvre le paysage de la campagne burundaise[1] depuis plusieurs heures déjà. Dans le ciel, de gros nuages lourds et menaçants masquent parfois la lune. L'obscurité grandit encore au-dessus du Tanganyika et les eaux du lac semblent alors presque huileuses[2].

En bas, la large plaine, encore calme et silencieuse, s'étend entre le bord de l'eau et le pied des collines[3]. Le vent se met à souffler à la surface des eaux, son sifflement s'élève vers les hauteurs.

---

1. Burundais (adj.) : *Du Burundi.*
2. Huileux (adj.) : *Comme de l'huile.*
3. Colline (n.f.) : *Petite montagne.*

Dans une petite case[4], à plusieurs centaines de mètres au-dessus du lac, Joséphine est réveillée par des contractions[5] de plus en plus fortes. Elle se redresse avec difficulté en se tenant le dos de ses deux mains. À côté d'elle, sur un lit de feuilles de bananiers et de branches sèches, son mari dort encore, enroulé dans un pagne[6] multicolore. Elle se penche vers lui, une grimace de douleur sur le visage, et murmure plusieurs fois à son oreille qu'il est temps. Sa voix est pleine de douceur et d'affection. Elle patiente pour ne pas le brusquer.

Encore à moitié endormi, il tousse plusieurs fois, grogne, puis s'appuie sur ses coudes. Il lui faut quelques secondes pour rassembler ses idées et comprendre l'urgence de la situation. Minerve regarde son épouse lui sourire. Joséphine veut le rassurer. Elle contient comme elle peut la douleur dans son ventre, des gouttes de sueur[7] coulent sur son

---

4. Case (n.f.) : *Petite maison en terre, en paille.*
5. Contraction (n.f.) : *Ici, mouvement du ventre qui se serre quand une femme va accoucher (avoir un bébé).*
6. Pagne (n.m.) : *Morceau de tissu rectangulaire.*
7. Sueur (n.f.) : *Eau qui sort de la peau quand on a chaud, mal ou peur.*

visage, une veine[8] a gonflé sur son front. Le couple se prépare au départ attendu depuis des semaines. Joséphine fait rapidement sa toilette, puis c'est au tour du jeune homme. Plongés dans l'obscurité, leurs mouvements sont lents et précis.

Minerve sait qu'il va bientôt pleuvoir et il est pressé de rejoindre le centre de santé. Il aide donc rapidement sa femme à s'installer sur le porte-bagages à l'arrière de son vélo. Malgré la nervosité, ses gestes sont tendres et mesurés. Il prie tous les jours pour ne plus revivre un cauchemar. Il espère que cette fois l'accouchement se passera bien et qu'ils rentreront à trois de la maternité[9], avec la mère et l'enfant en bonne santé.

Joséphine se tord de douleur. Elle change de position, mais ne parvient pas à calmer la souffrance. Une de ses mains est fortement collée à ses reins[10], l'autre serre le bras de

8. Veine (n.f.) : *Tuyau souple dans le corps où circule le sang.*
9. Maternité (n.f.) : *Hôpital où on va pour accoucher.*
10. Rein (n.m.) : *Ici, bas du dos.*

Minerve. Malgré le coussin de feuilles et d'herbes que son mari a installé avec amour, l'arrière de la bicyclette reste très inconfortable. Mais elle apprécie l'attention et lui pose une caresse sur l'épaule. Joséphine ne se plaint pas, elle supporte la violence des contractions en serrant les dents.

2

Minerve et Joséphine ont traversé une terrible épreuve[11] il y a deux ans maintenant. Sa femme était si heureuse d'être enceinte[12] ! Leur premier enfant ! Joséphine avait décidé de le mettre au monde avec l'aide de sa belle-mère et des tantes de son mari ; elle espérait leur donner un garçon solide et en pleine forme.

Comme le veut la coutume[13], il est resté en compagnie des autres hommes, loin de l'affaire des femmes. Il a beaucoup fumé pour supporter l'attente interminable.

---

11. Traverser une épreuve (expr.) : *Vivre un moment très difficile.*
12. Enceinte (adj.) : *Qui va avoir un enfant.*
13. Coutume (n.f.) : *Habitude, tradition.*

Très vite, la joie du début s'est changée en fatigue et échanges de regards inquiets. Plus personne n'osait parler. Le calvaire[14] a duré presque deux jours, deux jours de souffrances insoutenables pour Joséphine. Elle a longtemps pleuré et a perdu plusieurs fois connaissance[15].

Quand les accoucheuses[16] ont finalement sorti le corps d'un bébé mort, elle était épuisée, à bout de forces. La petite chose grisâtre aux yeux fermés a été déposée dans une flaque de sang entre les jambes ouvertes de sa femme. Rien ne pouvait consoler la jeune mère incrédule[17], terriblement choquée. Les yeux écarquillés[18], elle cherchait dans les regards autour d'elle une explication, de la compassion[19] ou un peu de réconfort. Elle s'est évanouie à nouveau et le monde autour d'elle est devenu silencieux. Quand elle a repris connaissance, elle

---

14. Calvaire (n.m.) : *Très grande souffrance, épreuve douloureuse.*
15. Perdre connaissance (expr.) : *S'évanouir, perdre conscience.*
16. Accoucheuse (n.f.) : *Femme qui aide à faire naître un enfant.*
17. Incrédule (adj.) : *Qui a du mal à croire quelque chose.*
18. Écarquillé (adj.) : *Grand ouvert.*
19. Compassion (n.f.) : *Empathie, capacité à partager la souffrance de quelqu'un.*

a découvert une expression d'horreur et de dégoût[20] dans le regard des femmes. Juste après le drame, toutes ont constaté que les urines[21] de la jeune femme coulaient sur ses cuisses sans pouvoir s'arrêter. Leur flux[22] lent et régulier se mélangeait aux derniers sangs. Les vieilles dames horrifiées en étaient sûres : c'était le signe d'une malédiction. Oui, Joséphine et sa famille étaient maudites !

Aujourd'hui, Minerve sait ce qu'il s'est passé : en réalité, pendant les très longues heures de travail, l'enfant a tellement pesé et poussé qu'il a fini par provoquer une déchirure[23] entre le vagin[24] et la vessie[25], une fistule vésico-vaginale. Peu à peu, Joséphine a compris l'ampleur de la catastrophe. Elle savait comment on traitait les femmes touchées par cette

---

20. Dégoût (n.m.) : *Sensation négative, sentiment de rejet.*
21. Urine (n.f.) : *Liquide qui évacue les déchets du corps, pipi.*
22. Flux (n.m.) : *Écoulement, mouvement de ce qui coule.*
23. Déchirure (n.f.) : *Quand quelque chose est cassé, abîmé. Ici, le poids de l'enfant a créé une ouverture, un petit trou entre le vagin et la vessie que l'on appelle fistule et où s'écoule l'urine.*
24. Vagin (n.m.) : *Organe génital de la femme.*
25. Vessie (n.f.) : *Dans le ventre, poche où s'accumule l'urine.*

malédiction et elle s'est résignée, sans chercher à se rebeller. Quelques heures seulement après la tragédie, l'âme brisée, le corps meurtri[26], elle a été chassée du village. On l'a amenée plus haut sur la colline, loin de toute habitation, dans une hutte[27] en terre laissée depuis longtemps à l'abandon[28].

---

26. Meurtri (adj.) : *Blessé, douloureux.*
27. Hutte (n.f.) : *Cabane, petit abri sans confort.*
28. À l'abandon (expr.) : *Dont plus personne ne s'occupe.*

3

À la fin du troisième jour, quand sa mère lui a annoncé la mort de l'enfant et lui a décrit les écoulements sur les jambes de sa bien-aimée, l'odeur insupportable, Minerve a cru devenir fou. Il se rappelle les mots terribles de sa mère : « Tu ferais mieux de l'oublier car elle n'est plus bonne à rien. De toute façon, elle est sûrement l'esclave des puissances du mal. » Ses genoux ont faibli sous son poids, il est tombé, a frappé le sol de ses poings. Et puis, il a hurlé si fort que ses cris sont montés jusqu'aux sommets et ont résonné dans la plaine en effrayant les animaux et en provoquant l'envol[29] de

---

29. Envol (n.m.) : *Départ en volant.*

centaines d'oiseaux. Finalement, l'écho[30] de sa douleur s'est éteint dans les eaux calmes du lac Tanganyika.

Tremblant et pleurant, il a enroulé le mort-né dans un morceau de sa chemise puis a improvisé une brève[31] cérémonie. Après avoir invoqué[32] et questionné les ancêtres[33], il a demandé leur protection et leur soutien dans ce moment difficile et a enterré l'enfant, tout près de l'habitation de ses parents. Il est resté ensuite longuement face à la tombe, seul, torse nu[34] sous le soleil de plomb, l'esprit vide de toute pensée, sans aucune parole pour dire la tragédie.

Ce dernier hommage rendu[35], toutes ses pensées se sont concentrées sur Joséphine. Il devait la retrouver. Et peu importe les conseils

---

30. Écho (n.m.) : *Résonance, répétition d'un son provoquée par un obstacle du paysage, du lieu.*
31. Brève (adj.) : *Courte.*
32. Invoquer (v.) : *Appeler, prier.*
33. Ancêtre (n.m.) : *Parent, personne des générations précédentes (grand-parent, arrière-grand-parent, etc.).*
34. Torse nu : *Haut du corps nu, sans chemise.*
35. Rendre hommage (expr.) : *Saluer, montrer son respect.*

et les menaces de sa famille ! Tout comme lui, elle avait certainement besoin d'être rassurée, de partager sa peine. L'idée de sa solitude dans un moment pareil était insupportable. Dans l'épreuve, il l'aimait encore plus fort. Il s'est donc mis activement à la recherche de celle qu'il avait juré de chérir[36] toute sa vie pour le meilleur et pour le pire. Après quarante-huit heures d'angoisse, il a fini par la retrouver. Elle agonisait[37], couchée sur le sol de sa misérable case, dans la solitude la plus totale. L'image de son visage creusé, de son corps blessé, allongé au milieu de ses déjections[38], envahit encore parfois ses rêves la nuit. C'était comme si elle avait accepté son terrible sort et avait préféré se laisser mourir.

Quand il a vu dans quel état elle se trouvait, il est vite allé jusqu'à la rivière chercher de quoi la faire boire et la laver. D'abord, la jeune femme, désespérée par la honte, a refusé son aide. Mais il l'a rassurée et l'a soignée

---

36. Chérir (v.) : *Aimer.*
37. Agoniser (v.) : *Être sur le point de mourir.*
38. Déjection (n.f.) : *Excrément, substance rejetée par le corps.*

patiemment[39], avec l'attention d'un amant. Les jours suivants, ayant repris un peu de force, elle l'a supplié de l'abandonner à son malheur. Minerve n'a rien voulu savoir. Il s'est montré au contraire encore plus tendre et plus affectueux, l'a couverte d'attentions et de baisers. Joséphine a fini par se détendre et a accepté la main tendue de son mari pour un nouveau départ.

Les jours suivants, il a réparé le toit ainsi que le mur et le sol de leur pauvre habitation. Doucement, il s'est habitué à l'odeur âcre[40] de l'urine, toujours présente. Ensemble, ils ont appris peu à peu à s'aimer en s'accommodant[41] des écoulements chauds. À leur manière, ils vivaient heureux. Malgré le rejet et le mépris[42] des autres, ces villageois méfiants qu'ils croisaient quelquefois sur les routes de campagne ou au marché.

---

39. Patiemment (adv.) : *Avec patience.*
40. Âcre (adj.) : *Irritant, désagréable.*
41. S'accommoder (v.) : *S'habituer.*
42. Mépris (n.m.) : *Sentiment par lequel on juge une personne inférieure, comme ne méritant pas l'estime, le respect. Contraire de l'admiration, du respect.*

Même si les conditions matérielles étaient difficiles : sans électricité, ni eau courante, les soins constants dont avait besoin Joséphine devenaient vite compliqués. Chaque jour, Minerve allait chercher de grandes quantités d'eau. Il affrontait[43] courageusement les kilomètres de pente[44] à monter ou à descendre par tous les temps. Au retour de la source[45], il portait une vingtaine de litres dans des bidons[46] en plastique, une partie en équilibre sur sa tête, une autre à bout de bras.

---

43. Affronter (v.) : *Attaquer.*
44. Pente (n.f.) : *Terrain qui n'est pas plat, montée/descente.*
45. Source (n.f.) : *Endroit de la terre d'où sort de l'eau.*
46. Bidon (n.m.) : *Récipient, sorte de grosse bouteille.*

4

Un vent chaud, humide et lourd, frappe les visages tendus du couple qui descend vers le centre de santé, dans la nuit noire. Elle, grimaçante[47], installée sur son siège improvisé, trempée jusqu'aux os[48] par sa sueur. Lui, debout, une main solidement posée sur le siège pour soutenir Joséphine et l'autre accrochée au guidon[49]. À l'avant de la bicyclette, une lampe-tempête éclaire faiblement le chemin et le précipice[50] à côté d'eux. En bas, au-delà de

---

47. Grimaçant (adj.) : *Avec le visage tordu par la douleur.*
48. Être trempé jusqu'aux os (expr.) : *Très mouillé, complètement.*
49. Guidon (n.m.) : *Partie avant d'une bicyclette qui sert à diriger.*
50. Précipice (n.m.) : *Creux très raide et profond dans le paysage, trou, vide où on risque de tomber.*

la végétation dense[51] qui mène à la plaine, la surface du lac Tanganyika commence à s'agiter. Les muscles des jambes de l'homme sont tendus. Il doit lutter en même temps contre les éléments et ses propres peurs. Très concentré, il essaye de résister au vent violent, d'amortir[52] les chocs provoqués par les irrégularités du chemin, et de contrôler la vitesse imposée par la pente. Ses pieds nus glissent sur le sol recouvert de feuilles mortes ou de mauvaises herbes, et s'enfoncent dans la boue.

Minerve et Joséphine progressent dans le silence complet, perdu chacun dans le souvenir douloureux et l'angoisse d'un nouveau drame. Et si l'espoir de vie laissait encore une nouvelle fois place à la mort et à la désolation ? Pour Joséphine, la peur est peut-être encore plus grande, car elle se sent responsable de l'échec de son premier accouchement[53]. Les contractions sont maintenant de plus en plus fortes

---

51. Végétation dense : *Ensemble de plantes nombreuses et très serrées.*
52. Amortir (v.) : *Rendre moins fort, moins violent.*
53. Accouchement (n.m.) : *Fait de mettre au monde un enfant, de donner naissance.*

et elle les supporte difficilement. Par ailleurs, elle est convaincue que cette fois-ci le bébé est beaucoup plus gros, il occupe encore plus de place dans son corps.

Le bruit du tonnerre qui gronde au loin les fait sursauter. Un éclair dans le ciel illumine brièvement[54] leurs silhouettes[55] qui progressent difficilement dans le noir à l'entrée du village endormi. Ils traversent les rues étroites, jusqu'aux portes du centre de santé. C'est un bâtiment rectangulaire avec des murs sales et abîmés, datant de l'époque coloniale.

Une jeune infirmière fume une cigarette juste devant l'établissement, protégée des premières gouttes par une mince avancée du toit. Elle observe avec inquiétude l'agitation[56] du ciel au-dessus d'elle. Le bruit de la bicyclette lui fait baisser les yeux et tourner la tête. Elle aperçoit le couple se rapprocher d'elle et court vers eux pour aider Minerve, épuisé. Ensemble,

---

54. Illuminer brièvement : *Éclairer juste un instant.*
55. Silhouette (n.f.) : *Forme, allure d'une personne.*
56. Agitation (n.f.) : *Mouvements. Ici, le ciel change beaucoup.*

ils soutiennent Joséphine par les épaules et l'emmènent à l'intérieur de la maternité. La jeune femme est si faible qu'elle a du mal à tenir sur ses jambes. Son très gros ventre impressionne la jeune praticienne[57] : en effet, il semble occuper la totalité de sa très petite taille. Joséphine ne mesure pas plus d'un mètre trente-cinq, conséquence de la malnutrition[58] et de la dureté de la vie, son quotidien depuis l'enfance sur les collines du Burundi.

La pluie tombe déjà avec force quand on allonge Joséphine sur le dernier lit encore disponible[59]. Dans la chambre commune, se trouvent déjà sept autres jeunes femmes. Certaines ont à peine une quinzaine d'années. Leurs plaintes étouffées[60] se mêlent au ronflement du groupe électrogène[61]. L'unique ampoule qui pend au plafond ne produit qu'une faible lumière et

---

57. Praticienne (n.f.) : *Femme qui travaille dans le domaine médical.*
58. Malnutrition (n.f.) : *Déséquilibre dans l'alimentation qui peut avoir des conséquences graves sur la santé.*
59. Disponible (adj.) : *Libre.*
60. Étouffé (adj.) : *Faible.*
61. Groupe électrogène : *Système mécanique, avec un moteur, qui sert à produire de l'électricité.*

Minerve distingue[62] à peine les regards de ces enfants grandis trop vite. Il y devine un mélange de souffrance et de surprise. Ces filles lui semblent trop fragiles devant l'immense épreuve de vie qui les attend. Elles soupirent profondément et roulent des yeux apeurés[63]. Parfois, elles les ferment en pleurant tout doucement, résignées[64]. Le bruit des corps cherchant en vain une position plus confortable sur les matelas usés envahit la pièce.

Minerve veut sortir pour laisser les femmes entre elles, mais on lui demande de rester. La sage-femme qui dirige le centre de santé, une solide religieuse d'une cinquantaine d'années, vient d'arriver. Elle explique à Joséphine et Minerve qu'il n'y a pas assez de personnel et qu'il est important que les patientes[65] soient aidées par des proches tout au long de leur séjour, les maris sont eux aussi les bienvenus !

---

62. Distinguer (v.) : *Voir.*
63. Apeuré (adj.) : *Qui a peur, où on voit la peur.*
64. Résigné (adj.) : *Qui a renoncé à se battre, qui accepte sa situation.*
65. Patiente (n.f.) : *Femme qui est soignée par un médecin.*

Mal à l'aise dans son nouveau rôle, le jeune homme se tient debout près de sa femme, les bras ballants[66], sans trop savoir que faire. Il attend qu'on lui explique comment il pourra être utile. Par la fenêtre aux vitres cassées, Minerve contemple le ciel sans étoiles qui se déchire. Les énormes nuages en mouvement semblent étonnamment proches du sol. La pluie, qui est projetée avec force contre le bâtiment par un vent puissant, brouille[67] la vue. Il se demande si une telle violence annonce une fin heureuse pour la venue de leur deuxième enfant.

Dès le premier examen et la série de questions auxquelles Joséphine répond difficilement, la sage-femme remarque la peau rouge, abîmée par la coulée incessante[68] d'urine. À n'en pas douter, c'est une fistule. Elle se concentre, fronce les sourcils en enlevant ses gants en plastique alors qu'elle vient

---

66. Ballant (adj.) : *Qui pend, qui balance sans rien faire.*
67. Brouiller (v.) : *Troubler.*
68. Incessant (adj.) : *Qui ne s'arrête pas.*

d'évaluer l'évolution du travail et la position du bébé. Quelque chose ne va pas, elle hésite à diagnostiquer[69], le cas semble en tout cas dépasser ses compétences[70]. La responsable du service paraît tout à coup moins sûre d'elle. Elle échange un regard inquiet avec la jeune infirmière qui l'assiste[71], avant de se diriger rapidement vers son bureau.

Pour éviter une catastrophe, cette naissance doit être médicalisée[72]. Il y a urgence et son service ne possède pas le matériel nécessaire pour une situation comme celle-là. Il faut appeler tout de suite l'antenne obstétrique[73] qui se trouve à plusieurs dizaines de kilomètres dans la plaine, au bord du Tanganyika. Elle est mieux équipée et son personnel a l'habitude des accouchements à risques.

---

69. Diagnostiquer (v.) : *Donner un avis médical, identifier un problème médical à partir de l'observation de signes, de symptômes.*
70. Compétence (n.f.) : *Chose que l'on sait faire, pour quoi on est formé.*
71. Assister (v.) : *Aider.*
72. Médicalisé (adj.) : *Aidé par la médecine.*
73. Antenne obstétrique : *Endroit spécialisé dans les accouchements, la grossesse.*

Témoin impuissant des va-et-vient de la sage-femme et de son assistante qui l'ignorent totalement, Minerve espère une explication. Devant leur silence, il tombe au pied du lit où Joséphine se tait. Des larmes coulent de ses yeux fermés, son poing est enfoncé dans sa bouche pour retenir les hurlements.

5

De bonne humeur, Karim et Boniface profitent de leur pause. Ils viennent de prendre place dans la file d'attente[74] pour le dîner quand un téléphone portable se met à sonner. Avant de décrocher, Boniface, l'infirmier[75], se tourne vers son collègue chauffeur et lui sourit, résigné. Karim répond par un profond soupir de déception. Il sait qu'il va manquer le plat du soir : riz, haricots rouges et bœuf bouilli ; il devra de nouveau se contenter d'un peu de lait et d'un paquet de biscuits, la ration alimentaire des missions d'urgence. Une fois de plus, leur

---

74. File d'attente : *Suite de gens, debout les uns derrière les autres, qui attendent leur tour.*
75. Infirmier (n.m.) : *Homme qui soigne les malades sous la direction des médecins.*

pause aura été plus courte que prévu, ce soir non plus ils n'auront pas le temps de manger un repas chaud.

Alors qu'ils se dirigent à pas pressés vers le parking, Boniface demande des détails sur la situation. Le téléphone collé à son oreille, il écoute attentivement les indications du médecin en chef qui l'appelle depuis la cabine du standardiste[76]. Après avoir raccroché, il respire profondément. Son collègue et lui se mettent en route. Dix minutes plus tard, l'ambulance quitte l'hôpital à grande vitesse. Sur son capot[77] et, à droite et à gauche du toit, sont plantés des drapeaux blancs portant le logo de leur organisation non gouvernementale.

Comme répondant à l'appel irrésistible du grand lac, l'orage, après s'être abattu[78] sur les collines, s'apprête à frapper la plaine[79]. Bientôt,

---

76. Cabine du standardiste : *Lieu où quelqu'un est chargé de recevoir les appels téléphoniques.*
77. Capot (n.m.) : *Partie avant de la voiture, au-dessus du moteur.*
78. S'abattre (v.) : *Tomber brutalement, avec force.*
79. Plaine (n.f.) : *Partie du paysage, large et plate.*

il va venir soulever les eaux de toute sa puissance. Tanganyika, tel un monstre, va bientôt se réveiller et gronder dans la nuit.

Les deux hommes ont déjà parcouru quelques kilomètres à travers la tempête quand la pluie se met à tomber avec encore plus de violence. On ne voit maintenant presque plus rien sur la route non éclairée qu'ils doivent suivre pendant près d'une heure. Ensuite, ils devront prendre un chemin de terre et monter sur la côte jusqu'au centre de santé, perché plus haut sur la colline. Là-bas, les attend une femme qui souffre : l'enfant dans son ventre se présente mal, les risques semblent importants. La sage-femme qui a contacté le standard était très inquiète : elle manque de personnel[80] et de matériel pour affronter les risques que présente cette naissance en cours. Elle craint le pire, les vies de la mère et du bébé sont en danger.

Depuis trois ans déjà, Karim et Boniface travaillent pour cette organisation humanitaire

---

80. Personnel (n.m.) : *Ici, ensemble de personnes qui travaillent dans un même service.*

et passent leurs jours et leurs nuits sur les routes du Burundi. Les deux Congolais, réfugiés[81] de la région du Kivu voisin en République Démocratique du Congo, se sont spécialisés dans le danger, l'urgence, le drame souvent, un miracle parfois. Leurs interventions demandent un engagement total.

D'ordinaire, Karim préfère les missions de nuit, lorsque les routes du pays sont vides, puisqu'à partir de dix-huit heures, seuls les véhicules de santé et ceux de la police ou de l'armée sont autorisés à circuler dans le pays. Mais dès qu'il fait mauvais temps, un trajet d'une heure ou plus dans l'obscurité totale devient un exercice aventureux. Les chemins sont étroits, boueux[82] et très glissants. Il faut rouler parmi les flaques[83] d'eau et les trous dans la route. Karim se dit fier d'aller là où personne d'autre n'ose se rendre. Il en a fait son slogan, le sens profond de son métier, et le revendique[84] avec dignité.

---

81. Réfugié (adj.) : *Qui est parti de son pays parce qu'il y était en danger.*
82. Boueux (adj.) : *Plein/couvert de terre humide.*
83. Flaque (n.f.) : *Petit trou d'eau.*
84. Revendiquer (v.) : *Affirmer avec fierté, assumer.*

Mais ce soir, la météo n'est vraiment pas favorable. Il observe Boniface et lui lance un clin d'œil[85] complice. Il lâche un instant le levier de vitesses[86] et lisse sa longue barbe d'un geste très lent avant de poser la main sur son cœur. Dehors, la pluie tambourine[87] contre la voiture. Enfin, il pointe son index[88] vers le plafond et affirme qu'il le sent, malgré les conditions difficiles, cette nuit Dieu le Miséricordieux est à leurs côtés, tout va bien se passer… Inch'Allah ! Boniface approuve en silence, il hoche[89] la tête et avale une boule de salive pour évacuer la tension qui l'habite.

Il allume la radio sur un programme musical venu de son pays natal[90], de l'autre côté du lac. Les haut-parleurs envoient des rythmes entraînants et des sons joyeux qui couvrent le

---

85. Clin d'œil (n.m.) : *Mouvement de l'œil, on garde un œil ouvert pendant qu'on ferme l'autre un court instant.*
86. Levier de vitesse : *Dans une voiture, barre qui permet de changer de vitesse.*
87. Tambouriner (v.) : *Frapper.*
88. Index (n.m.) : *Doigt qui se trouve à côté du pouce et qui sert à montrer quelque chose ou quelqu'un.*
89. Hocher la tête : *Faire un mouvement de la tête vers le bas et le haut pour dire « oui ».*
90. Natal (adj.) : *Où on est né.*

bruit des gouttes sur le métal et les vitres. Des sons aigus de guitare et la voix suave[91] d'une chanteuse de charme remplissent l'intérieur du 4x4. L'infirmier connaît bien cette chanson. Il augmente le volume et reprend la mélodie à voix basse, les yeux fermés. Sa tête bouge en rythme de la droite vers la gauche. Karim, pour plaisanter, lui demande de danser. Boniface rit d'abord aux éclats[92], puis il pince ses lèvres, tape des mains, s'oublie et se balance d'avant en arrière dans l'espace réduit du véhicule. Le texte romantique de la chanson parle d'un amour contrarié. Il raconte l'histoire d'amants qui s'embrassent en cachette sous le clair de lune, au milieu des fleurs, là-bas près des rapides[93] au bord du fleuve Congo.

---

91. Suave (adj.) : *Doux/douce.*
92. Rire aux éclats (expr.) : *Rire très fort.*
93. Rapide (n.m.) : *Partie d'une rivière très agitée, qui va très vite.*

6

Tout à coup, la peur s'installe dans les ventres de Karim et Boniface et brise l'instant de joie : la lumière de leurs phares éclaire un groupe d'hommes armés de fusils mitrailleurs[94] à une vingtaine de mètres d'eux. La Toyota ralentit et s'arrête. La chanson se termine à peine lorsqu'un militaire, couvert d'un sac poubelle bleu, s'avance dans leur direction d'un pas rapide et décidé. Par précaution, Karim éteint rapidement le poste de radio. Le tremblement de ses doigts trahit une peur panique.

L'officier qui s'approche avec autorité agite une lampe à pétrole et leur indique de se garer sur le côté. Là, cinq adolescents, habillés

---

94. Fusil-mitrailleur (n.m.) : *Arme à feu automatique.*

de tenues militaires trop larges pour eux et chaussés de sandales[95] en plastique aux couleurs fluorescentes, tremblent de froid sous un abri de fortune[96]. Quatre bouts de bois tordus soutiennent une sorte de toit improvisé avec du plastique et de longues feuilles de bananiers. Après la première frayeur, les ambulanciers se rassurent un peu : ils ont reconnu une unité de l'armée régulière. Ils savent qu'avec ceux-là, l'équivalent[97] d'une dizaine d'euros suffira à accélérer les interminables formalités de contrôle.

Karim et Boniface n'oublieront jamais l'embuscade[98] dont ils ont été victimes un an plus tôt à la sortie de la capitale Bujumbura. Ils transportaient alors une femme enceinte dans un état très grave. Brusquement, une vingtaine d'hommes, d'anciens miliciens[99]

---

95. Sandale (n.f.) : *Chaussure légère.*
96. Abri de fortune : *Petit espace improvisé pour se protéger de la pluie.*
97. L'équivalent de : *Environ.*
98. Embuscade (n.f.) : *Piège qui consiste à se cacher pour surprendre et attaquer un ennemi.*
99. Milicien (n.m.) : *Membre d'un groupe armé.*

devenus bandits[100], se sont jetés sur la route en rang désordonné. Ils étaient ivres et affamés, terriblement menaçants. D'une rafale[101] de mitraillette tirée sur le devant du véhicule, ils les ont stoppés net. Des négociations, très difficiles, ont commencé. La tension était insoutenable[102]. À un moment, Boniface a voulu les convaincre de l'importance de sa mission et leur a demandé de les laisser continuer pour sauver la malade. Il a été battu violemment et laissé pour mort[103] sur le bord de la route. La mère et l'enfant n'ont pas survécu : le choc de l'intervention avait été particulièrement violent, trop de temps avait été perdu. Dans la confusion générale, les téléphones portables, l'argent prévu pour ce genre de situations, et l'ensemble du matériel sophistiqué[104] ont été volés et emportés.

---

100. Bandit (n.m.) : *Personne criminelle, qui fait des choses illégales.*
101. Rafale (n.f.) : *Ensemble de coups de feu tirés par une arme automatique.*
102. Insoutenable (adj.) : *Insupportable.*
103. Laisser pour mort (expr.) : *Laisser, abandonner quelqu'un très gravement blessé en croyant qu'il est mort.*
104. Sophistiqué (adj.) : *Perfectionné, complexe.*

Comme Karim et Boniface ne donnaient pas de nouvelles au standard, une équipe de secours est partie à leur recherche. Elle est arrivée sur les lieux environ une heure après l'attaque. Les employés de l'organisation, accompagnés de policiers et de gendarmes, ont trouvé Karim en état de choc sur le bord de la route. Il délirait[105] en Lingala, sa langue maternelle. Son corps était parcouru de spasmes[106] nerveux et il avait l'air d'un fou. Il regardait son collègue, allongé à ses pieds, en sang, désespéré de ne pouvoir lui apporter aucun secours. Boniface a dû passer un mois dans un hôpital spécialisé, dirigé par des experts occidentaux, mais ensuite, il a refusé d'arrêter les urgences et a repris son travail avec encore plus de conviction[107].

Armé d'une lampe de poche, le responsable de la troupe fait un semblant d'interrogatoire. Après un rapide échange, Karim lui glisse

---

105. Délirer (v.) : *Dire des choses qui n'ont pas de sens.*
106. Spasme (n.m.) : *Secousse, mouvement brusque.*
107. Conviction (n.f.) : *Fait de croire très fort à quelque chose.*

discrètement une enveloppe dans la main. Le soldat quitte alors son air sévère et concentré, et compte les billets de banque. Il met ensuite l'argent dans la poche avant de son treillis[108] et aboie[109] sèchement un ordre en direction des jeunes garçons grelottants[110], qui s'empressent de déplacer le tronc d'arbre couché en travers de la route.

Le conducteur sourit nerveusement à l'officier, remercie et salue d'un mouvement de tête. Boniface à sa droite se tient la tête baissée, il est resté à sa place sans bouger pendant la scène. Tétanisé[111], il a tout fait pour éviter de croiser le regard de leur interlocuteur[112]. L'ambulance peut reprendre sa route. Les images de l'attaque vécue quelque temps plus tôt ont du mal à disparaître de son souvenir.

---

108. Treillis (n.m.) : *Vêtement militaire.*
109. Aboyer (v.) : *Crier (normalement pour un chien). Ici, crier fort contre quelqu'un.*
110. Grelottant (adj.) : *Tremblant (de froid).*
111. Tétanisé (adj.) : *Paralysé, qui ne peut plus bouger.*
112. Interlocuteur (n.m.) : *Personne à qui on parle.*

7

Leur Jeep arrive enfin au pied de la colline et s'engage sur la piste boueuse. Il y a de nombreux trous et, même avec un moteur puissant, la progression est difficile. La pluie frappe violemment le pare-brise[113] sali par des éclaboussures[114] d'eaux terreuses, les essuie-glaces[115] ne fonctionnent pas très bien et le frottement du caoutchouc contre le verre produit un bruit un peu désagréable.

Le 4x4 avance prudemment au bord de l'abîme[116], ses roues se coincent parfois

---

113. Pare-brise (n.m.) : *Vitre avant d'une voiture.*
114. Éclaboussure (n.f.) : *Liquide projeté en petite quantité et qui laisse des traces.*
115. Essuie-glace (n.m.) : *Dispositif à l'avant d'une voiture qui sert à essuyer le pare-brise en cas de pluie.*
116. Abîme (n.m.) : *Trou très profond.*

quelques secondes, semblent tourner un instant dans le vide, et finissent par repartir de plus belle. Karim serre les dents, la sueur coule sur son front et entre dans ses yeux. Il les plisse, réajuste machinalement[117] ses lunettes sur son nez puis il demande à Boniface de baisser le volume de la musique. Malgré sa longue expérience des raids[118] nocturnes, cette fois, à cause de l'orage qui gronde, il doit se concentrer un peu plus.

Devant eux, la route serpente[119] sans fin. Ils sont conscients de risquer à chaque instant une chute qui ne laisserait aucune chance de survie. À chaque virage, les lumières de l'auto éclairent les collines lointaines, couvertes d'une forte végétation puisque c'est la saison des pluies. Les palmiers et les bananiers semblent eux aussi lutter et plier sous les rafales de vent et la pluie serrée qui tombe du ciel.

Dans l'obscurité, Boniface devine la masse imposante du grand lac : une merveille de

---

117. Réajuster machinalement : *Remettre en place sans y penser.*
118. Raid (n.m.) : *Expédition.*
119. Serpenter (v.) : *Tourner en faisant des S.*

beauté et de force en plein jour, quand les rayons du soleil scintillent[120] à la surface, une menace invisible, un gouffre[121] infini dans la nuit. L'infirmier se retourne : sur la rive opposée, il devine de faibles lueurs[122], c'est le Congo qui s'étire là-bas au plus loin de l'horizon. En ces instants d'urgence et de danger, la nostalgie envahit sa mémoire.

Il se souvient de sa jeunesse heureuse et insouciante[123], de ses brillantes études avant le début de la guerre civile. Et puis brusquement… Le départ précipité à l'approche des combats. La violence partout et la sauvagerie qui semblait avoir pris le pouvoir. L'ensemble de l'Est du Congo et une partie de la région des grands lacs semblaient plongés dans le chaos. Destructions, viols, meurtres… Un cauchemar de massacres. Les villages étaient brûlés, sans pitié. Tout un peuple était pris en otage par

---

120. Scintiller (v.) : *Briller.*
121. Gouffre (n.m.) : *Trou très profond, inquiétant.*
122. Lueur (n.f.) : *Petite lumière.*
123. Insouciant (adj.) : *Qui ne se fait pas de souci, qui n'est pas inquiet.*

des troupes d'enfants soldats sanguinaires[124] et sans scrupules[125], rendus fous par les drogues et la folie destructrice. Les habitants terrorisés fuyaient sans savoir où aller. Les réfugiés s'entassaient[126] sous des tentes, dans des camps incapables de répondre aux besoins les plus élémentaires du flux de malheureux. L'urgence déjà.

À l'époque, dans sa fuite, Boniface, en compagnie d'autres déplacés, a dû traverser le lac Tanganyika sur un bateau de fortune, avant d'atteindre à pied, en traversant la forêt et ses dangers, une structure d'accueil au Burundi. Un autre conflit l'y attendait. Grâce à sa formation médicale, il a tout de suite été recruté[127] par une organisation humanitaire.

Sans aucun doute, ces expériences ont renforcé sa vocation[128], l'envie de porter secours aux plus faibles, ceux qui n'ont plus rien si ce

---

124. Sanguinaire (adj.) : *Violent, cruel.*
125. Sans scrupules : *Sans mauvaise conscience.*
126. S'entasser (v.) : *Se serrer les uns contre les autres dans un espace trop petit.*
127. Recruter (v.) : *Employer, donner un travail à quelqu'un.*
128. Vocation (n.f.) : *Très fort intérêt pour une profession.*

n'est l'espoir de survivre et de manger à leur faim. Boniface offre son engagement[129] et ses compétences là où elles manquent cruellement, là où des femmes, des vieillards, des enfants et des hommes souffrent. Sauver des vies, nourrir l'envie de résister, comme on lèverait un poing au nez de la fatalité.

---

129. Engagement (n.m.) : *Implication, conviction.*

8

La montée continue sur la pente escarpée[130]. Boniface s'accroche à la poignée de sa portière[131] car l'ambulance bouge dangereusement et le secoue dans tous les sens. La météo ne semble pas s'améliorer, le tonnerre gronde au loin, rappelant le cri d'un fauve[132] sur le point de mourir, un mauvais présage[133].

Au moment de signaler leur position à la centrale, le standardiste alarmé leur apprend que la patiente va de plus en plus mal, elle perd beaucoup de sang, il faut aller très vite ! Sans

---

130. Escarpé (adj.) : *Haut et raide.*
131. Portière (n.f.) : *Porte d'un véhicule.*
132. Fauve (n.m.) : *Animal sauvage de la famille du lion, du tigre, etc.*
133. Présage (n.m.) : *Signe supposé annoncer un événement, le futur.*

hésiter, Karim accélère, les roues de la Toyota tournent à vide un instant puis gagnent de la vitesse, ils doivent aller coûte que coûte[134] au bout de leur mission, les vies en danger n'attendent pas.

Boniface vérifie son matériel alors que leur voiture pénètre dans le village plongé dans l'obscurité : l'électricité tout comme l'eau courante n'arrivent pas jusqu'aux collines. Soulagé[135] d'avoir réussi la première partie de la mission, Karim se gare en marche arrière devant le centre de santé. Il éteint le moteur, essuie la sueur sur son front et le pose sur le volant pour reprendre des forces. L'infirmier descend, une mallette[136] contenant le nécessaire pour les premiers soins à la main, et se précipite vers le bâtiment.

La sage-femme qui vient à sa rencontre le salue rapidement. Elle porte sur le visage toute la gravité de la situation et commence par se

---

134. Coûte que coûte (expr.) : *À tout prix (il le faut absolument)*.
135. Soulagé (adj.) : *Apaisé, rassuré*.
136. Mallette (n.f.) : *Petite valise*.

plaindre de la lenteur de leur arrivée. Boniface s'excuse et sourit, sans évoquer[137] un instant les difficultés rencontrées sur la route. Il la suit dans la maternité mal éclairée par la faiblesse du groupe électrogène. Tandis qu'ils avancent dans le couloir aux murs sales où la peinture s'effrite çà et là[138], Boniface se renseigne sur l'état de la patiente. Joséphine est maintenant très faible, elle souffre et doit être transportée le plus rapidement possible. Sa survie et celle de l'enfant ne sont pas garanties. De plus, la position du bébé est difficile à définir claire-ment, il est d'ailleurs possible qu'il s'agisse de jumeaux[139].

Minerve est resté tout le temps à genoux près du lit de son épouse[140]. Il tient sa main pressée contre sa joue, de l'autre il lui caresse tendrement l'avant-bras, sans pouvoir retenir

---

137. Évoquer (v.) : *Parler de quelque chose.*
138. S'effriter çà et là : *Tomber par petits bouts à certains endroits.*
139. Jumeaux (n.m.) : *Enfants nés d'un même accouchement, portés par la même mère.*
140. Épouse (n.f.) : *Femme (mariée).*

ses larmes. Il murmure parfois des mots doux à son oreille pour la consoler[141], lui souffle des berceuses[142], puis il se tait. Joséphine gémit[143] sans arrêt, la figure déformée de douleur, elle semble ailleurs, absente, à peine consciente.

Autour d'eux, d'autres accouchements se préparent, entre espoir et peine[144]. Fou d'inquiétude et de chagrin, Minerve ne remarque pas l'arrivée des deux hommes qui discutent pourtant à voix haute en s'approchant de lui. La sage-femme le prend par les épaules et l'éloigne de sa femme pendant que Boniface enfile ses gants en plastique pour un premier examen.

Joséphine répond comme elle peut aux questions du praticien. Elle se tord sous le toucher dans son intimité, lâche un cri de douleur aigu. L'infirmer soulève son pagne mouillé d'urine et de sang mélangés. Pas de doute : elle

---

141. Consoler (v.) : *Dire des choses rassurantes, apaisantes, pour calmer la tristesse ou la souffrance.*
142. Berceuse (n.f.) : *Chanson, normalement pour faire dormir les enfants.*
143. Gémir (v.) : *Se plaindre, faire de faibles bruits de douleur.*
144. Peine (n.f.) : *Chagrin, souffrance.*

doit être évacuée immédiatement. Il s'agit bien d'une double grossesse et l'un des bébés est dans une position particulièrement difficile. Sa naissance ne se fera pas de manière naturelle. Sans césarienne[145], ni la mère ni les enfants n'y survivront. Sous le choc, Minerve rassemble les quelques affaires de Joséphine.

Il aide ensuite Boniface à porter sa femme sur le brancard[146] à l'arrière de l'ambulance. Après avoir installé la patiente, l'infirmier appelle l'hôpital pour annoncer leur départ. Pour Karim, la pause a été courte ! Dès qu'il a vu son ami et le couple sortir du centre de santé, il a mis le moteur en marche. Confiant, il sourit car les nuages semblent se retirer, la pluie tombe plus calmement, le pire est peut-être derrière eux.

---

145. Césarienne (n.f.) : *Opération pour sortir le bébé du ventre quand l'accouchement naturel n'est pas possible.*
146. Brancard (n.m.) : *Dispositif pour transporter un malade ou un blessé allongé, civière.*

9

Dans la descente qui mène à la route principale, Karim roule assez vite mais reste prudent pour éviter les gestes brusques[147]. Il sait que le chemin est irrégulier et que les violentes secousses peuvent être dangereuses pour la patiente. Son état est critique[148] et son transport nécessite un maximum de précautions et le meilleur confort possible.

Minerve, assis près de sa femme, aide comme il peut Boniface qui prodigue[149] des soins auxquels il ne comprend rien. L'espoir se lit pourtant sur son visage. Il observe

---

147. Brusque (adj.) : *Sec, violent.*
148. Critique (adj.) : *Ici, très grave.*
149. Prodiguer (v.) : *Donner.*

attentivement le matériel sophistiqué à l'arrière du véhicule, les appareils à haute technologie qui l'entourent avec leurs points lumineux verts et rouges qui clignotent[150] le rassurent. Sa femme et les bébés sont cette fois-ci en de bonnes mains, du moins beaucoup plus qu'ils ne l'étaient lors du drame. Quand Boniface lui a dit qu'il s'agissait de jumeaux, il s'est d'abord senti très fier. Ensuite, quand l'infirmier a ajouté que dans un tel cas les risques étaient plus importants, l'inquiétude a pris le dessus. Il a alors renoncé à le questionner sur le sexe des bébés.

Ils arrivent enfin en bas de la colline et le trajet se poursuit sur la route goudronnée[151]. Le chauffeur actionne ses sirènes[152] dans l'espoir de décourager d'éventuelles attaques. Le passage de la voiture dans les larges flaques provoque des envolées et des retombées liquides

---

150. Clignoter (v.) : *S'allumer et s'éteindre tour à tour.*
151. Goudronné (adj.) : *Recouvert de goudron (asphalte, bitume), un produit huileux noir qui rend la route lisse et solide.*
152. Sirène (n.f.) : *Appareil qui fait du bruit et est utilisé par les ambulances ou la police pour signaler une urgence.*

qui semblent répondre à l'agitation du lac. Ensemble, ils forment un spectacle étonnant, des projections d'eau de plus de deux mètres éclaboussent les bords de la route et rejoignent les vagues qui débordent[153] du Tanganyika. L'ambulance file[154] à travers la nuit équatoriale et dessine une longue et étrange traînée[155] de lumière blanche dans la campagne endormie. Son bruit masque celui des eaux encore agitées même si, peu à peu, les vagues se calment. Le vent devient lui aussi moins violent, se transformant en une agréable brise[156] d'été.

Les employés de l'hôpital ont été prévenus depuis longtemps. Une partie de l'équipe de nuit attend au bord de la route, à l'entrée du bâtiment principal. Le calme règne sur l'ensemble de l'établissement, spécialisé dans les grossesses à risques et les accouchements compliqués. La direction travaille en étroite collaboration avec les centres de santé qui

---

153. Déborder (v.) : *Dépasser, sortir, passer par-dessus.*
154. Filer (v.) : *Aller très vite.*
155. Traînée (n.f.) : *Longue trace.*
156. Brise (n.f.) : *Vent léger.*

se trouvent dans les coins les plus reculés[157].
Difficiles d'accès pour les populations de la
campagne, ces derniers sont également mal
équipés et surtout n'ont pas les moyens d'opérer.
La maternité de l'hôpital sert de recours[158] aux
situations difficiles, c'est la dernière chance
pour les cas désespérés.

---

157. Reculé (adj.) : *Éloigné.*
158. Recours (n.m.) : *Moyen, solution.*

10

Cet état d'incertitude constante sur le fil mince et fragile, qui sépare la vie et la mort, est devenu un moteur pour la vie de Jenny, la sage-femme originaire de Suède. C'est sa quatrième mission pour l'organisation humanitaire et elle se nourrit encore des frissons[159] de l'urgence. La jeune femme d'une trentaine d'années se sent revivre à chaque enfant sauvé qui lâche son premier cri. Le bonheur dans les yeux d'une mère et d'un père soulagés lui fait toujours le même effet. Le combat quotidien[160] contre la mort est devenu le sens de son existence, une

---

159. Frisson (n.m.) : *Léger tremblement à cause de la peur, du froid ou de l'excitation.*
160. Quotidien (adj.) : *De chaque jour.*

dynamique, une inspiration qui lui fait oublier la monotonie confortable et peu motivante de ses années passées à Stockholm. Dans les maternités suédoises suréquipées, elle se sentait inutile, pas du tout à sa place.

Au Burundi, comme dans les autres endroits de la terre victimes de catastrophes où elle a travaillé, elle a trouvé une raison d'être. Jenny est heureuse d'être revenue à la gynécologie[161] après une courte expérience comme infirmière en Haïti, juste après le tremblement de terre. La catastrophe avait fait des dizaines de milliers de morts, trois semaines d'amputations[162], un malaise[163] de tous les instants parce que son rôle consistait simplement à limiter les dégâts[164], de toute façon immenses. Rien à voir avec l'espoir et la satisfaction que lui apporte la venue au monde d'un nouveau-né.

---

161. Gynécologie (n.f.) : *Médecine spécialisée dans le corps de la femme, notamment les organes sexuels.*
162. Amputation (n.f.) : *Opération chirugicale qui consiste à couper un élément du corps.*
163. Malaise (n.m.) : *Sensation désagréable.*
164. Dégât (n.m.) : *Conséquence négative, grave.*

Les mains enfoncées dans ses poches, elle sent son corps frissonner sous l'effet de l'adrénaline. En effet, elle entend et reconnaît au loin le chant de la sirène du 4x4 qui se rapproche. Elle cherche et croit distinguer la lumière des phares à l'horizon. Bien sûr, elle pense à la souffrance de la femme qui arrive, mais elle ne peut pas s'empêcher de se réjouir en même temps, car elle sait qu'elle va bientôt passer à l'action.

À ses côtés, Arthur, le jeune médecin belge de vingt-neuf ans, a du mal à masquer sa nervosité[165]. Il essaie de paraître calme et détendu, mais sa pâleur le trahit. Il a commencé sa première mission trois semaines plus tôt et, depuis qu'il se trouve sur le terrain, les difficultés s'accumulent[166]. Le matin même, pendant la réunion de passation[167] entre équipes arrivantes et partantes, il a présenté le cas d'un mort-né encore inexpliqué. Il ne supporte

---

165. Nervosité (n.f.) : *Stress, anxiété.*
166. S'accumuler (v.) : *Se multiplier.*
167. Réunion de passation : *Moment où les médecins se transmettent les informations importantes au sujet des patients.*

pas d'ignorer les causes du décès[168]. Pour cet enfant, il n'y aura pas de deuxième chance.

L'image du minuscule corps sans vie qu'il a fallu examiner de longues minutes s'est sans doute gravée pour toujours dans sa mémoire, lui causant une douleur d'une force qu'il ne connaissait pas avant. Il n'oubliera pas non plus le contact froid du petit être qui n'aura jamais vu la lumière du jour. Il se sent terriblement coupable, même si tous les membres de l'équipe lui ont répété qu'il n'y pouvait rien. Devant ses collègues silencieux, la bouche sèche et le regard humide, il s'est contenté de lire son rapport d'une voix lente et monocorde[169], lézardée[170] par l'émotion.

Depuis qu'il est au Burundi, Arthur apprend lentement à changer ses habitudes alimentaires. Ce n'est pas facile : il souffre de diarrhées chroniques[171] qu'aucun médicament ne soulage[172]. En plus de ses problèmes de

---

168. Décès (n.m.) : *Mort.*
169. Monocorde (adj.) : *Sans relief, toujours sur le même ton.*
170. Lézardé (adj.) : *Brisé.*
171. Diarrhée chronique : *Maladie due à un mauvais fonctionnement des intestins (on passe son temps aux toilettes).*
172. Soulager (v.) : *Apaiser, calmer.*

digestion[173], il y a les moustiques et d'autres insectes qui l'embêtent du matin au soir, et même longtemps après le coucher du soleil. Il a aussi du mal à s'adapter au climat chaud et humide qui l'empêche parfois de trouver le sommeil, sans oublier l'impossibilité de sortir de la résidence où doivent rester les expatriés[174] après dix-huit heures, pour raisons de sécurité. Car même si la guerre civile est terminée, de nombreuses bandes armées parcourent encore la campagne et attaquent parfois les imprudents dans la nuit, surtout les étrangers originaires d'Europe ou d'Amérique du Nord.

L'idée de vivre dans un environnement hostile[175], qui pourrait mettre ses jours en danger, l'angoisse profondément. Surtout, il trouve la situation absurde : il est venu ici pour aider la population et voilà qu'il est devenu une cible[176].

---

173. Digestion (n.f.) : *À l'intérieur du corps, transformation des aliments en substances capables de passer dans le sang.*
174. Expatrié (n.m.) : *Personne qui vit et travaille dans un autre pays que le sien.*
175. Hostile (adj.) : *Agressif, dangereux.*
176. Cible (n.f.) : *But, objectif pour une attaque, une agression. Ici, le médecin peut être l'objet d'un tir.*

Alors qu'il sent le stress monter en lui, Jenny pose tendrement la main sur son épaule. Elle lui murmure qu'ils sont là pour faire de leur mieux, seul Dieu, si jamais il existe, est capable de miracles. Elle lui demande de se concentrer et de se détendre, dans quelques minutes elle aura besoin d'un médecin solide et déterminé à ses côtés.

Arthur sourit. Il apprécie la compagnie de ses collègues, les soirées passées à rire ensemble, à écouter des CD de pop anglaise ou d'improbables groupes de rock, venus tout droit des scènes underground berlinoises ou bruxelloises, en buvant quelques bières, la ciga-rette aux lèvres. Cela fait du bien de partager un peu de chaleur humaine après le travail. Il aime aussi se souvenir de la famille et des amis restés au pays. Ils lui manquent, et leur souve-nir l'aide à passer ces heures où il se retrouve seul sur son lit à guetter d'éventuels[177] bruits suspects venus de la rue, avant de retrouver le devoir et les patientes au petit matin.

---

177. Éventuel (adj.) : *Possible.*

11

La lourde grille[178] de l'hôpital s'ouvre pour
permettre à la Toyota d'entrer dans la cour.
L'ambulance ralentit et s'arrête à hauteur des
brancardiers[179]. Épuisé, Karim pose sa tête
pendant quelques minutes contre le volant,
avant de sortir marcher un peu. Son service
vient de se terminer, il a fait son travail en
ramenant la patiente à temps.

Le chauffeur fait quelques pas maladroits
en direction du lac qu'il distingue à peine car le
soleil se cache encore. Il se tient au grillage qui
entoure l'hôpital, les yeux fixés sur la surface
du Tanganyika. Là-bas, se lève le vent chaud

---

178. Grille (n.f.) : *Ici, porte à barreaux.*
179. Brancardier (n.m.) : *Personne qui transporte un malade
sur un brancard.*

du grand large qui apaise la plaine où tombe maintenant une pluie très fine. Le souffle se faufile[180] entre les plantes aquatiques, il fait chanter la berge[181] et berce le repos du conducteur. Karim a l'impression que la mélodie du vent célèbre le travail accompli, il réussit à oublier la fatigue en attendant de reprendre la route vers son devoir, quelque part sur les collines.

La salle de travail a été préparée avec soin pour accompagner les naissances compliquées, elle est prête depuis plusieurs heures. En plus de Jenny et d'Arthur, deux infirmières burundaises sont présentes. Joséphine est allongée sur le lit. Après un rapide examen, la sage-femme a estimé[182] qu'il restait une petite chance de sortir les bébés par le bas. Ce serait beaucoup mieux car la jeune mère est épuisée, elle a perdu une importante quantité de sang et pourrait ne pas supporter les effets secondaires d'une

---

180. Se faufiler (v.) : *Glisser, passer entre.*
181. Berge (n.f.) : *Bord d'un lac ou d'une rivière.*
182. Estimer (v.) : *Juger, penser.*

anesthésie générale[183]. Dans le bloc opératoire[184], installée dans la salle d'à côté, l'équipe du chirurgien[185] est prête à intervenir à tout moment pour pratiquer une césarienne.

Jenny applique énergiquement les paumes[186] de ses mains sur le ventre de la patiente, ses gestes sont précis. Son visage très fermé paraît encore plus pâle que d'ordinaire, ses yeux bleus très clairs, intensifiés par la concentration, semblent regarder à travers le ventre qu'elle masse. Joséphine pleure, se contracte, se braque[187] par moments, les bras tantôt grands ouverts, tantôt crispés[188] sur ses reins, elle a mal. Tout près d'elle, l'infirmière l'encourage à contrôler sa respiration. Elle grimace : elle a peur.

Arthur évalue constamment son état de santé et celui des bébés. Le jeune homme est

---

183. Anesthésie générale : *Action d'endormir un patient pour faire une opération.*
184. Bloc opératoire : *Salle où on opère les patients.*
185. Chirurgien (n. m.) : *Médecin spécialiste qui fait des opérations (ouvre le corps pour soigner).*
186. Paume (n.f.) : *Intérieur de la main.*
187. Se braquer (v.) : *Avoir une attitude hostile, négative.*
188. Crispé (adj.) : *Serré.*

nerveux, confus[189] aussi, car il croit avoir repéré les battements[190] d'un troisième cœur, mais il hésite et se tait : c'est tellement invraisemblable ! Les minutes passent, une éternité, rien n'avance mais jusque-là tout va bien !

Du dehors, on entend gronder le tonnerre au loin, plusieurs éclairs déchirent le noir de la nuit. La lumière vacille[191] un instant mais ne s'éteint pas. Une coupure d'électricité dans un moment pareil serait une catastrophe. La tension monte. L'orage reprend. Jenny souffle longuement, écarte machinalement une mèche rebelle[192] de ses cheveux blonds collée par la sueur contre son front. Sans lever la tête, elle reprend ses massages avec plus de détermination.

Son collègue médecin n'ose pas lui dire d'arrêter, il préférerait pourtant mettre fin à l'attente insupportable et avoir recours à[193] la

---

189. Confus (adj.) : *Troublé.*
190. Battements (n.m.) : *Série de mouvements répétés (ici, ceux du cœur).*
191. Vaciller (v.) : *Bouger légèrement, trembler.*
192. Mèche rebelle : *Petit groupe de cheveux qui ne gardent pas la position qu'ils devraient avoir, qui reviennent dans le visage.*
193. Avoir recours à : *Utiliser un autre moyen.*

chirurgie. La peur de devoir constater la mort d'un nouvel enfant le paralyse[194]. Le troisième pouls[195] qui bat sur son écran persiste et le rend fou, il hésite.

Se sentant inutile, Minerve est resté seul sous la pluie qui augmente de violence, il prie tout doucement les esprits de ses ancêtres à la lueur d'un lampadaire. Ses pensées se dirigent encore une fois vers Joséphine et les souffrances qu'elle doit supporter.

Tout à coup, Jenny se déplace pour se positionner devant l'entrejambe[196] ensanglanté[197] de la future maman à qui elle demande de pousser aussi fort qu'elle peut. Ses doigts plongent dans la blessure, saisissent et guident la petite tête qui a réussi à trouver son chemin vers le monde. Le bébé glisse, un bruit d'expulsion[198]. Avec lui, sortent du ventre maternel des

---

194. Paralyser (v.) : *Empêcher de bouger.*
195. Pouls (n.m.) : *Transmission des battements du cœur dans les veines qu'on sent en posant le doigt sur le poignet par exemple.*
196. Entrejambe (n.m.) : *Ici, le sexe.*
197. Ensanglanté (adj.) : *Couvert de sang.*
198. Expulsion (n.f.) : *Fait de faire sortir quelque chose.*

matières organiques et du sang. La blouse[199] blanche et le visage de la sage-femme sont éclaboussés. Jenny sourit.

Elle se détend et prend le nouveau-né contre sa poitrine. Vite, elle déroule le cordon ombilical[200] qui est serré autour de son cou et pose délicatement l'enfant sur une serviette à même le sol. Aucun son. L'une des infirmières se dépêche de dégager le nez et la bouche avec un mince jet d'eau. Les secondes passent, insoutenables, l'atmosphère est lourde. Dans la pièce, tout le monde se tait, personne n'ose se regarder et, soudain, un cri !

Une fête, un hymne[201] de vie, un soulagement. Un petit être vivant, une fille vient de naître. Elle est remise au médecin pour qu'il fasse les tests nécessaires et statue[202] sur son état de santé. Arthur la prend comme un trésor. Il la pèse, la mesure. Ses yeux brillent.

---

199. Blouse (n.f.) : *Veste blanche que portent les médecins et les personnes qui travaillent dans un hôpital.*
200. Cordon ombilical : *Tuyau qui relie le bébé au placenta dans le ventre de la mère.*
201. Hymne (n.m.) : *Chant.*
202. Statuer (v.) : *Décider, évaluer la situation.*

La jeune mère pousse encore et un deuxième visage fripé[203] se présente entre ses cuisses. Jenny applaudit et remet le garçon à Arthur. Alors que Joséphine reprend un peu son souffle et essaie de se redresser, l'arrivée d'un troisième bébé la surprend elle aussi. Ces nouveaux pleurs provoquent des cris de joie dans la salle. C'est l'euphorie[204], tout le monde s'embrasse ! L'équipe du bloc opératoire vient rejoindre celle de la salle de travail pour des tapes sur les épaules, des poignées de mains et des baisers sur les joues. On fête le miracle !

---

203. Fripé (adj.) : *Froissé, un peu plié.*
204. Euphorie (n.f.) : *Très grande joie.*

12

On annonce à Minerve qu'il peut rejoindre son épouse. Il se précipite et la trouve épuisée mais très heureuse. Elle sourit. Leurs regards se croisent. L'expression de Joséphine oscille[205] entre le bonheur infini d'avoir vaincu la mort et l'inquiétude. Car c'est vrai, trois enfants ce n'est pas rien. Comment feront-ils pour les nourrir dans la pauvreté de leur colline ? Il rassure son amour et la supplie de rendre d'abord hommage à la vie et de remercier les ancêtres de leur avoir accordé un tel bonheur ! D'ailleurs, lorsque des triplés[206] naissent, un

---

205. Osciller (v.) : *Hésiter, changer.*
206. Triplés (n.m.pl.) : *Trois enfants nés lors d'un même accouchement, portés en même temps par la même mère.*

responsable du ministère de la Santé se déplace pour rendre visite aux parents et leur apporte un certain nombre de cadeaux pour les soutenir. Les autres questions et préoccupations attendront demain.

Le mari s'approche et chuchote[207] l'autre bonne nouvelle à l'oreille de sa bien-aimée : Boniface, l'infirmier, lui a dit qu'au nord du pays un chirurgien néerlandais soigne gratuitement les fistules, dans une clinique spécialement conçue pour ce genre de maladie. Ce sera la fin de ses souffrances. Joséphine sera bientôt guérie et pourra même retrouver sa place dans la communauté. Une larme coule sur sa joue, bientôt tout va changer.

Arthur n'oubliera jamais cette nuit d'orage qui symbolise à elle seule le sens de sa présence au Burundi. Dans quelques heures, malgré sa nuit blanche[208], il ne ressentira aucune fatigue au moment de la réunion de huit heures. Il

---

207. Chuchoter (v.) : *Murmurer, dire à voix basse.*
208. Nuit blanche (expr.) : *Nuit pendant laquelle on ne dort pas.*

sourira en lisant fièrement le compte-rendu du triple accouchement.

Jenny dormira toute la journée, heureuse d'avoir une fois de plus participé à donner la vie, de s'être sentie utile, très loin de l'ennui de sa jeunesse là-bas sous le ciel gris d'Europe du Nord.

Le standardiste vient de quitter sa cabine en courant, il se presse en direction de Boniface et Karim, à peine remis de leurs émotions. Conscients de l'importance de leur engagement, ils se dirigent vers leur véhicule… Une nouvelle urgence les attend là-haut au sommet d'une colline.

Toujours immense, mystérieux, Tanganyika continue paisiblement son mouvement monotone, indifférent au mauvais temps comme aux drames des humains. Ses eaux se sont calmées et attendent de briller à la lumière du jour qui vient. Quelques rayons de soleil se fraient[209] déjà un chemin parmi les nuages et

---

209. Se frayer un chemin (expr.) : *Se faire/tracer un chemin.*

réchauffent les hauteurs. Le ciel gris et bleu se dégage lentement et dévoile le magnifique paysage : la végétation vert intense accrochée sur les pentes et, plus bas dans la plaine, le rouge foncé de la terre mouillée de pluie qui donne au grand lac sa couleur d'aquarelle[210].

---

210. Aquarelle (n.f.) : *Peinture à l'eau.*

Crédits

Principe de couverture : David Amiel et Vivan Mai
Direction artistique : Vivan Mai
Crédits iconographiques de la couverture : Mike Powell/Stone/ Gettyimages ; liewwk-www.liewwkphoto.com/Flickr/Gettyimages

Relecture et mise en pages : Nelly Benoit

Enregistrement, montage et mixage : Studio EURODVD

ISBN 978-2-278-07880-6 – ISSN 2270-4388

Dépôt légal : 7880/01
Achevé d'imprimer en avril 2014 par ✿ Grafica Veneta (Italie)